LE MAÎTRE
DES ARAIGNÉES

Cet ouvrage a initialement paru en langue anglaise en 2008
chez Orchard Books sous le titre :
Arachnid the King of Spiders
© Working Partners Limited 2008 pour le texte.
© David Wyatt, 2008 pour la couverture.
© Orchard Books, 2008 pour les illustrations.

© Hachette Livre, 2010 pour la présente édition.

Mise en page et colorisation : Julie Simoens.

Hachette Livre, 43, quai de Grenelle, 75015 Paris.

Adam Blade

**Adapté de l'anglais
par Blandine Longre**

LE MAÎTRE
DES ARAIGNÉES

LES GRANDES PLAINES

Avantia

PRAIRIES

LE PALAIS
DU ROI
HUGO

LA CITÉ

ERRINEL

LA JUNGLE
OBSCURE

TOM

Tom, le héros de cette histoire, aime l'action et l'aventure : il a toujours voulu devenir chevalier. Sa mission est risquée, et il lui arrive d'avoir peur... mais il sait aussi se montrer très malin! Par chance, il peut compter sur son amie Elena, sur son cheval Tempête, et sur son épée, dont il se sert très bien. Son rêve le plus cher : retrouver son père, qu'il n'a jamais connu.

ELENA

Cette jeune orpheline accompagne Tom dans ses aventures. Courageuse, astucieuse, et plutôt têtue, elle est experte au tir à l'arc. Elle a tendance à se fâcher, surtout si Tom la taquine! Mais elle n'abandonne jamais ses compagnons quand ils sont en danger. Avant de rencontrer Tom, son seul ami était Silver, un loup. Très attachée à Silver, elle s'inquiète souvent pour lui... parfois un peu trop!

Bienvenue à Avantia...

Je suis Malvel, le sorcier qui terrifie les habitants du royaume. Si tu crois que l'aventure de Tom est terminée, tu te trompes ! Je n'ai pas encore perdu...

C'est vrai, Tom a réussi à libérer les six Bêtes que j'avais ensorcelées. Mais j'ai créé six nouvelles créatures maléfiques : un monstre marin, un singe géant, une ensorceleuse, un homme-serpent, le maître des araignées et un lion à trois têtes ! Cette fois, il ne pourra pas les sauver.

Chaque Bête garde un morceau du trésor le plus précieux du royaume : une armure en or qui donne des pouvoirs magiques à celui qui la possède.

Je ferai tout pour empêcher Tom de la retrouver. Et rien ne m'arrêtera !

Malvel

Tom et Elena ont réussi à vaincre quatre Bêtes maléfiques créées par le sorcier Malvel : un monstre marin, un singe géant, une ensorceleuse et un homme-serpent. Au cours de ses dernières aventures, le jeune héros a retrouvé plusieurs parties de l'armure magique : un casque en or, une cotte de mailles, un plastron doré ainsi que des jambières. Pourtant, le bon sorcier Aduro est toujours entre les mains de Malvel et une autre Bête maléfique sème la terreur dans le royaume d'Avantia… Tom va-t-il parvenir à vaincre Arachnid, le maître des araignées ?

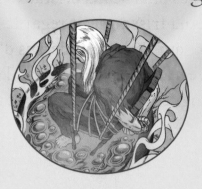

Sur la montagne rocheuse, deux jeunes femmes sont penchées vers l'entrée d'une grotte sombre.

— Est-ce qu'on doit vraiment y aller, Etta ? demande Dorina.

— C'est dans cette grotte qu'on trouve les plus beaux cristaux.

Dorina frissonne et regarde la forêt obscure qui s'étend au-dessus d'elles.

— Je n'aime pas cet endroit, le maître des araignées est peut-être tout près.

— Arachnid ne sortira pas de la forêt en plein jour, répond Etta, en attachant une corde autour de sa taille. Ne t'inquiète pas !

— Ma voisine m'a dit qu'il y avait des toiles d'araignée dans sa maison ce matin. Son lit était entouré de fils gluants !

— Si l'araignée existe vraiment, les cristaux qui se trouvent dans ces grottes nous protégeront, déclare Etta d'un ton ferme.

Elle attache l'autre bout de la corde à un arbre, puis place une bougie sur son chapeau de cuir. D'une main tremblante, Dorina allume la mèche. Puis, Etta descend lentement dans l'obscurité.

— Fais attention ! lui dit son amie.

À l'intérieur de la grotte, l'air est

humide et sent le moisi. La jeune femme continue d'avancer, malgré son cœur qui bat vite. Rapidement, le tunnel s'élargit et soudain, Etta arrive dans une immense caverne.

Elle retient un cri de surprise.

La grotte est immense. D'énormes stalactites de glace pendent au plafond. Des stalagmites pointues s'élèvent du sol. Des cristaux d'un bleu lumineux couvrent les murs.

— Dorina ! Je les ai trouvés !

Elle prend sa petite pioche pour détacher les belles pierres des parois.

Tout à coup, les cristaux deviennent moins lumineux. La jeune fille sent une chose humide qui se pose sur son épaule.

Elle lève les yeux. Un long fil de salive coule des crocs d'une énorme araignée noire. Six yeux étincelants la regardent.

Paralysée par la peur, Etta lâche le morceau de cristal. Elle ouvre la bouche pour hurler, mais il est déjà trop tard !

Des fils de soie épais s'enroulent autour d'elle. Elle se débat mais n'arrive pas à se libérer. Dans le lointain, elle entend la voix de Dorina qui l'appelle. Au même moment, l'araignée donne un coup de patte dans les rochers qui se trouvent au-dessus d'elle et ceux-ci s'effondrent, refermant l'entrée de la grotte.

Les pattes velues d'Arachnid travaillent à toute vitesse et enroulent sa victime de fils de soie. Puis, l'araignée géante se place au centre de sa toile.

Elle attend. Aux aguets.

Chapitre un

Destinée !

Tom et Elena regardent Epos, le grand oiseau-flamme d'Avantia, s'envoler vers le soleil couchant.

— On était sur son dos, tu te rends compte ! s'exclame la jeune fille.

— Silver et Tempête n'en reviennent pas non plus, répond

Tom avec un grand sourire. Ce n'est pas tous les jours qu'un loup et un cheval montent sur un phénix !

Le garçon enlève son casque doré et le contemple avec fierté. Il leur reste deux morceaux de l'armure magique à retrouver. Pour cela, il lui faut encore affronter deux Bêtes maléfiques. Ensuite, il pourra délivrer le sorcier Aduro.

— Il est temps de repartir, dit-il d'un air décidé.

— Non, répond Elena. D'abord, on va se reposer.

— Mais Aduro a besoin de notre aide ! insiste le garçon.

— Tu es fatigué, et tu auras besoin de forces pour combattre la prochaine Bête.

Tom sait que son amie a raison. À contrecœur, il enlève le reste de son armure magique. Pendant ce temps, Elena fait du feu. Ils installent leur campement sous un palmier et mangent du pain et du fromage. Tempête broute un peu d'herbe sèche et Silver, le loup d'Elena, revient de la chasse avec deux lapins.

— On s'en ira dès l'aube, dit Tom en étudiant la carte magique à la lueur du feu. Je vois une route qui part du désert et qui se dirige

vers les montagnes. C'est là que se cache la Bête.

— Parfait, répond Elena en bâillant. Allez, essaie de dormir, maintenant.

Pourtant, le garçon ne trouve pas le sommeil. Il s'inquiète pour son ami Aduro. Le sorcier Malvel l'a prévenu : chaque fois qu'il hésitera pendant sa quête, Aduro sera encore plus en danger.

Tout à coup, il sent son cheval au-dessus de lui. Tempête souffle gentiment sur son visage. Réconforté,

Tom ferme les yeux.

Il a déjà vaincu de nombreuses Bêtes. Il est sûrement capable d'en combattre une de plus !

Le lendemain matin, le garçon se sent plein d'énergie.

— Monte sur Tempête, propose-t-il à Elena. Avec mes nouvelles jambières, je crois que je pourrais courir pendant des jours !

— Bonne idée ! s'exclame son amie en riant.

Elle grimpe sur le cheval, qui pousse un hennissement joyeux et part au galop.

Grâce à ses jambières, Tom découvre qu'il peut courir aussi vite que Tempête : il a l'impression de faire des pas de géant ! Silver les suit en aboyant de plaisir.

Bientôt, ils sortent du désert et traversent des plaines vertes. L'air est plus frais... un vrai soulagement après les vents brûlants du désert !

— Regarde, Tom ! s'écrie Elena.

Au bord de la route, il y a plusieurs pommiers chargés de fruits. Tom grimpe en haut d'une branche. Il cueille des pommes et les lance à la jeune fille.

Les fruits sont frais et croquants, et leur jus sucré coule sur les mentons de Tom et d'Elena.

— Je n'avais jamais mangé une pomme aussi bonne, dit-il avec un grand sourire.

Tout à coup, le garçon aperçoit une lettre gravée sur le tronc de l'arbre : un T majuscule. Son cœur se

met à battre plus vite. Est-
ce que c'est l'initiale du
nom de son père, Taladon
l'Agile? Il se sent heureux
et triste en même temps,
comme chaque fois qu'il
repense au père qu'il n'a
jamais connu.

— Tu as vu, Elena? Mon
père est peut-être passé
par là...

— Un jour, tu le retrouve-
ras, lui promet son amie.

Tom lui sourit, puis sort
sa boussole magique. Il la
place sur la carte. Aussitôt,
des montagnes miniatures

se dressent sur le parche-
min et de tout petits arbres
se balancent dans le vent.
Un sentier tracé en rouge
apparaît. Il se dirige vers
une ville au pied des montagnes. Tout près, il aperçoit
une paire de minuscules
gantelets dorés ! Et sur la
boussole, l'aiguille indique :
« *Destinée* ».

Il rassemble son courage
et lance à son amie :

— Il est temps de se met-
tre en route !

Chapitre deux

Une belle fête

Fatigués et affamés après leur long voyage, Tom, Elena, Tempête et Silver arrivent enfin à la ville indiquée sur la carte. Elle est entourée de murailles grises, de la même couleur que les montagnes.

À leur grande surprise, ils aperçoivent une foule entrer par la grande porte.

— Qu'est-ce qui se passe aujourd'hui ? demande Tom.

— C'est peut-être jour de marché, suggère Elena.

Dans la ville, des banderoles colorées et des drapeaux sont accrochés aux fenêtres. Des jongleurs se donnent en spectacle dans les rues. Partout, il y a de la musique et des rires. Bientôt, ils arrivent sur la grande place, où sont installés des tables et des bancs.

— Bienvenue ! s'exclame un marchand. Longue vie au roi !

— Évidemment ! s'écrie Elena. Tout le pays fête l'anniversaire du roi Hugo.

— Venez partager notre ragoût, voyageurs ! leur dit un autre homme.

Les deux amis s'assoient sur un banc et se servent à manger. Malgré l'atmosphère joyeuse, Tom remarque des visages inquiets... Est-ce qu'ils savent qu'une Bête maléfique se trouve tout près de la ville ?

Après le repas, ils se promènent sur la place et tombent sur un jeu de massacre.

— J'ai envie de jouer !
s'écrie Elena. Regarde ce
qu'on peut gagner !

Tom voit des rangées de petites créatures d'argile qui ressemblent à des ours, alignées sur une grande table en bois.

— On dirait Nanook ! Une des Bêtes que nous avons délivrées !

Elena s'empare de trois balles et les lance sur des noix de coco posées sur une planche. L'une après l'autre, les noix de coco tombent par terre.

— Bravo, mademoiselle ! s'écrie un petit garçon.

Elena, qui vient de gagner

trois petits Nanook d'argile, en donne un à l'enfant, qui la remercie joyeusement.

Puis Tom interroge l'homme qui tient le stand :

— Est-ce que vous savez où on peut trouver une auberge ? On a fait un long voyage et on a besoin d'un bon lit !

L'homme n'a pas le temps de répondre. Une jeune femme qui se tient derrière eux leur dit :

— J'ai une chambre libre dans ma maison.

— C'est merveilleux !

réplique Elena avec un sourire. Merci beaucoup.

— Je m'appelle Dorina, dit-elle sans sourire. Venez avec moi.

Tom et Elena la suivent, tout en se demandant pourquoi elle a l'air aussi triste.

— Tout le monde est très accueillant dans votre ville. Est-ce que vous vous êtes bien amusée aujourd'hui ?

— Je n'ai pas le cœur à faire la fête, répond Dorina en se tournant vers eux. Il y a quelques jours, j'ai perdu mon amie dans la montagne.

Ses yeux se remplissent
de larmes.

— Qu'est-ce qui s'est passé ? demande Elena.

— Elle est allée chercher
des cristaux protecteurs
dans une grotte... explique
Dorina, mais il y a eu un
éboulement et l'entrée de
la grotte s'est bouchée.

— Pourquoi est-ce que
vous avez besoin de protec-
tion ? veut savoir Tom.

— À cause d'une énorme
araignée qui vit dans la
forêt... On dit qu'elle s'appelle Arachnid, le maître

des araignées, et que les cristaux peuvent nous protéger d'elle.

Tom et Elena frissonnent… Est-ce que ce monstre est la Bête qu'ils recherchent? Le garçon en est certain.

— Il se passe aussi des choses bizarres. Tous les matins, on retrouve des toiles d'araignée dans la ville. Ne vous fiez pas à cette fête joyeuse : nous avons tous très peur !

Le soleil va bientôt se coucher. Tom lève les yeux vers les montagnes sombres.

Il aperçoit une grande forêt près des sommets. Quelque part, parmi ces arbres, se trouve la Bête qui garde le cinquième morceau de l'armure magique et qui attend le jeune héros...

Beast Quest

ENTRE DANS LE MONDE MAGIQUE D'AVANTIA

La BIBLIOTHÈQUE verte

hachette JEUNESSE

www.bibliothequeverte.com

ADURO

Aduro, le bon sorcier, est le conseiller du roi Hugo. Il est sage et puissant, et guide Tom et Elena dans leur quête.

Âge	70
Puissance	276
Magie	192

ARACHNID
LE MAÎTRE DES ARAIGNÉES

Cette énorme araignée rôde dans les grottes, sous la montagne. Elle enveloppe ses victimes dans sa toile mortelle avant de les dévorer.

Âge	285
Puissance	156
Magie	142

ENTRE
DANS LE MONDE
MAGIQUE
D'AVANTIA

ENTRE
DANS
LE MONDE
MAGIQUE
D'AVANTIA

www.bibliothequeverte.com

LA BIBLIOTHÈQUE verte

ENTRE
DANS
LE MONDE
MAGIQUE
D'AVANTIA

www.bibliothequeverte.com

LA BIBLIOTHÈQUE verte

Chapitre trois

Le maître
des araignées

Une fois chez Dorina, Tom va installer Tempête dans l'écurie, puis rentre dans la maison avec son amie et Silver.

— J'espère que ce sera assez confortable, leur dit la jeune femme en les faisant entrer dans leur chambre, à l'arrière de sa maison.

Deux gros matelas remplis

de paille sont posés sur des lits en bois.

— Je pourrais dormir une semaine entière, gémit Elena en se laissant tomber sur l'un des matelas.

Silver se couche en boule sous le lit.

— Reposez-vous bien, dit Dorina en quittant la pièce.

Tom enlève ses chaussures et s'allonge sur son lit.

— Tu crois que l'amie de Dorina a été enlevée par Arachnid?

— L'araignée est censée vivre dans la forêt, pas

dans les grottes, répond Elena, surprise.

— J'ai pourtant l'impression que la Bête est tout près de la ville, reprend le garçon d'un air songeur.

— Tu as peut-être raison... dit son amie, sur le point de s'endormir.

Tom voudrait partir immédiatement à la recherche de l'araignée, mais il sait que la jeune fille est épuisée. « Mieux vaut attendre le matin », pense-t-il.

Pourtant, il est trop nerveux pour se coucher. Il va

s'assoir près de la fenêtre pour monter la garde. Si l'araignée vient pendant la nuit, Tom sera le premier à le savoir...

Le garçon se réveille brusquement. Il s'est endormi et est tombé par terre.

La lueur de la lune éclaire la chambre. Autour de lui, tout est silencieux et immobile... sauf Silver, qui grogne doucement. Soudain, Tom aperçoit une lumière vive qui sort de son sac.

Il en tire la carte magique : le sentier tracé en rouge paraît plus lumineux qu'avant.

Pendant ce temps, le loup continue de gronder.

— Chut ! lui dit le garçon, tu vas réveiller Elena.

Tout à coup, devant la fenêtre, il remarque une chose étrange : on dirait un voile... une immense toile d'araignée a été tissée devant l'ouverture !

Horrifié, Tom regarde

autour de lui et s'aperçoit que la pièce est entièrement couverte de fines toiles d'araignée… il recule et se retrouve pris au piège dans plusieurs fils ! Il pousse un hurlement…

Elena se réveille brusquement.

— C'est dégoûtant !
s'écrie-t-elle en essayant
de déchirer les toiles qui
entourent son lit.

— Arachnid est venue ici !
dit Tom en se dépêchant
d'enfiler son armure. On
doit aller dans les montagnes tout de suite !

Son amie se lève et ils
sortent de la chambre sur
la pointe des pieds, Silver
derrière eux.

Ils passent devant la chambre de Dorina, plongée

dans le noir. Le couloir et les escaliers sont eux aussi couverts de toiles d'araignée.

— Je vais lui laisser un peu d'argent pour la remercier, chuchote Elena.

Elle va chercher deux bougies dans la cuisine et pose quelques pièces de monnaie sur la table.

— Heureusement, la ville dort encore, murmure Tom pendant qu'il sort Tempête de l'écurie. Personne ne doit savoir où nous allons.

Au même moment, une main l'attrape par l'épaule

et le garçon pousse un cri.

— Est-ce que vous partez ?
demande Dorina, effrayée.

— On a une chose urgente
à faire, répond Elena.

— Vous avez vu ? L'arai-
gnée est entrée chez moi
pendant la nuit... Vous de-
vez la retrouver et la tuer !

— Nous ? fait semblant
de s'étonner Tom. Mais...

— Je vous ai observés...
explique Dorina. Je sais que
vous n'êtes pas des voya-
geurs ordinaires. Et puis,
vous portez une armure...

— Vous avez raison, avoue

le garçon. On cherche Arachnid. Mais promettez de n'en parler à personne.

— Je le jure. Il y a une autre entrée qui mène aux grottes, plus haut dans la montagne. Prenez ceci, vous serez protégés, ajoute-t-elle en lui tendant un morceau de cristal d'un bleu étincelant. Et que les Bêtes d'Avantia soient avec vous !

Chapitre quatre

Une terrible chute

Avant de se mettre en route, Tom examine le cristal que Dorina lui a donné.

— C'est juste un bijou, déclare Elena. Je ne vois pas en quoi ça peut nous protéger.

Puis la jeune fille monte sur Tempête et les deux amis se servent de la carte magique pour sortir de la ville. D'épais-

ses toiles d'araignée re-
couvrent les murs et les
maisons. Tom essaie de ne
pas penser à la taille de
l'animal qui a pu les tisser...

Ils suivent la route qui
mène à la montagne. Mais
une fois arrivés sur le sentier rocheux et pentu, ils
ont du mal à avancer, et
Tempête n'arrête pas de
perdre l'équilibre.

Malgré tout, Tom est
content de porter son casque doré, qui lui permet de
mieux voir le chemin.

Quand ils atteignent enfin l'endroit indiqué sur le plan, le soleil est en train de se lever.

— C'est là qu'Etta a dû entrer, dit Elena en se penchant vers le trou, bouché par des roches. Ça doit être vraiment affreux d'être coincé là en bas.

— Regarde, la carte nous montre une autre entrée, lui dit son ami. Allons-y.

Le chemin, très étroit, longe un précipice.

— Tom, dit soudain Elena d'une voix étouffée, c'est trop dangereux...

— Toi et moi, on a déjà vaincu dix Bêtes, répond le garçon. Tout va bien se passer. Fais-moi confiance.

Elena se met à suivre son ami d'un pas hésitant.

À certains endroits, le sentier s'écroule à moitié, mais Tom aide la jeune fille en lui donnant des conseils.

— Passe la première, et reste contre la paroi de la montagne.

Le garçon, qui conduit Tempête, avance avec prudence, en essayant de ne pas regarder vers le bas.

46

Soudain, il sent des pierres rouler sous ses pieds.

— La route s'effondre ! s'écrie Elena. Cours, Tom !

Le garçon accélère le pas et Tempête part au galop derrière lui. Quand, tout à coup, le chemin disparaît sous ses pieds ! Il essaie de s'agripper aux rochers mais il n'y arrive pas. Il entend Elena crier son nom... et tombe dans le vide.

Heureusement, il réussit à attraper son bouclier, accroché dans son dos, et le place au-dessus de sa tête.

47

La plume d'aigle, qui y est fixée, ralentit sa chute et le garçon arrive enfin à s'agripper à la roche. « Ouf ! Il était temps… » pense-t-il. Il se met à escalader la montagne pour rejoindre le sentier où Elena, inquiète, l'attend. Le plastron doré lui donne de la force pour grimper. Son amie l'aide à remonter sur le chemin.

— J'ai cru que tu avais disparu pour de bon ! s'exclame-t-elle.

— On ne se débarrasse pas aussi facilement de moi ! répond-il avec un sourire.

La jeune fille, soulagée, se met à rire.

— En revanche, on ne peut plus repartir en arriè-re, annonce-t-elle. La route est complètement détruite.

— Pour l'instant, on doit d'abord trouver Arachnid et la combattre !

Chapitre cinq

La tanière d'Arachnid

Peu de temps après, ils arrivent devant l'entrée d'un tunnel sombre et étroit.

— Est-ce que tu es prête ? demande Tom à Elena.

— Plus que jamais ! répond la jeune fille en caressant la tête de Silver.

Elle allume les bougies et en

donne une à Tom. Le garçon passe devant elle. Le cheval et le loup le suivent et Elena ferme la marche.

Ils avancent lentement dans le tunnel. Soudain, un courant d'air froid éteint leurs bougies ! Comment vont-ils faire sans lumière ?

Mais les yeux du garçon s'habituent peu à peu à l'obscurité et, stupéfait, il se rend compte que les murs du tunnel brillent.

— Ce sont les cristaux, Tom ! s'exclame Elena. Ils nous éclairent le chemin.

— Finalement, ils nous protègent, répond son ami.

Tout à coup, ils arrivent dans une vaste caverne humide et froide et regardent autour d'eux avec étonnement. De grosses stalactites pendent au plafond et des stalagmites sortent de terre.

Tom sent un frisson lui parcourir le dos... il est certain que la Bête est tout près.

Il s'avance et... soudain, il entend un sifflement. Puis quelque chose est projeté dans les airs et s'enroule autour de sa taille…

C'est un épais fil de soie… Arachnid est dans la grotte !

Un nouveau sifflement résonne et un autre fil de soie est lancé sur Elena.

— Au secours ! s'écrie la jeune fille.

Tom réussit à arracher une partie de la toile d'araignée qui l'enveloppe. Pendant ce temps, Silver pousse un grondement furieux et essaie de déchirer la toile, qui s'est enroulée autour de sa maîtresse, avec ses crocs. Mais cela ne fait que resserrer les fils.

— Inutile de se débattre, Elena, dit Tom d'une voix calme. Tu dois les enlever doucement.

Petit à petit, elle arrive à se débarrasser des fils gluants collés à ses vêtements et à ses cheveux.

Tom regarde autour d'eux. « Où est-ce que l'araignée se cache ? » se demande-t-il.

Au même instant, il la voit, accrochée sur une énorme toile, dans le coin le plus sombre de la caverne.

Arachnid a de longs crocs couverts de salive et fixe Tom avec ses six yeux malfaisants. La Bête ouvre la gueule et pousse un gémissement. Une odeur horrible emplit la grotte.

— Regarde, chuchote tout à coup Elena.

Les gantelets dorés sont posés au centre de la toile. Sans réfléchir, Tom se dirige vers eux et réalise soudain que l'araignée l'attire à lui, en tirant sur un des fils qui entoure sa taille !

Les pattes de la créature tourbillonnent à toute vitesse pour enfermer ses victimes dans sa toile.

Arachnid va les dévorer !

Chapitre six

Les gantelets magiques

Le maître des araignées laisse échapper un gémissement aigu qui résonne entre les murs de la caverne. Arachnid est prête à lancer de nouveaux fils !

Le garçon attrape son bouclier et le place devant lui pour se protéger, puis il dégaine son épée et se met à couper la

toile qui entoure sa taille.

Grâce à son casque magi-
que, il voit très bien l'horrible corps de l'araignée velue
et ses six yeux, qui surveillent
ses mouvements.

Soudain, la Bête donne
un coup de patte à Tom.
Celui-ci dirige son épée sur
elle, mais sa lame rebondit.

Elena tire une flèche, mais elle ne parvient pas à percer la peau de l'araignée.

Comment est-ce qu'ils vont pouvoir vaincre cette Bête, si aucune arme ne peut l'atteindre ?

Soudain, Tom a une idée.

— Si j'arrive à briser une stalactite, je pourrai m'en servir de lance ! s'exclame-t-il. Tempête ! Approche-toi du mur de la grotte.

Le cheval se place contre la paroi et le garçon pose le pied dans un étrier, puis se met debout sur la selle et tend la main vers la stalactite. Pourvu qu'il puisse l'attraper...

Arachnid se dresse tout à coup sur ses pattes arrière.

Tempête pousse un hennissement et bondit en avant, malgré les efforts d'Elena pour le calmer. Tom, qui a perdu l'équilibre, tente de se raccrocher à la stalactite... trop tard !

Il tombe en arrière sans avoir le temps de lever son bouclier pour ralentir sa chute.

Il atterrit directement dans… la toile de la Bête ! Arachnid s'avance sur lui.

Le garçon essaie désespérément de se relever, mais les fils gluants l'en empêchent. Pourtant, grâce à son plastron magique, il se sent soudain plus fort et se libère des fils ! Il se redresse et court vers les gantelets dorés, qui se trouvent toujours dans la toile.

La Bête, furieuse, fond sur Tom, mais il a eu le temps d'enfiler les gantelets : ils lui vont parfaitement ! Il sait aussi qu'ils vont lui permettre de mieux se servir de son épée.

Beast Quest

ENTRE DANS LE MONDE MAGIQUE D'AVANTIA

BIBLIOTHÈQUE verte

hachette JEUNESSE

www.bibliothequeverte.com

LA CARTE MAGIQUE

L e sorcier Aduro a offert cette carte à Tom. Elle guide le jeune héros et lui indique la bonne route à suivre dans chacune de ses aventures.

Âge	257
Puissance	203
Magie	179

LES GANTELETS DORÉS

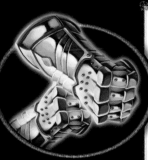

C es gantelets font partie de l'armure magique. Ils ressemblent à deux grosses pattes munies de griffes et permettent à Tom de se battre encore mieux à l'épée.

Âge	100
Puissance	279
Magie	147

ENTRE
DANS LE MONDE
MAGIQUE
D'AVANTIA

ENTRE
DANS
LE MONDE
MAGIQUE
D'AVANTIA

www.bibliothequeverte.com

ENTRE
DANS
LE MONDE
MAGIQUE
D'AVANTIA

www.bibliothequeverte.com

Il dégaine son arme, la fait tournoyer au-dessus de sa tête et coupe les fils de soie qui entourent ses pieds.

Sans perdre un instant, il saute dans le trou qu'il vient de faire dans la toile et, grâce à son bouclier, atterrit lentement sur le sol. Vite, il doit rejoindre Elena, Tempête et Silver pour les protéger !

Il arrive vers eux en courant, mais il aperçoit l'araignée, qui se trouve juste derrière Silver...

... sur le point d'attaquer le loup !

Chapitre sept

Le combat

— Silver ! s'écrie Tom.

Elena se retourne. Trop tard : l'araignée retient déjà le loup dans sa toile. L'animal essaie de se débattre, mais il est pris au piège... Il gronde et montre ses crocs à la Bête, en vain. Arachnid l'enveloppe dans ses fils gluants.

67

Tom se met alors à escalader un mur de la caverne. Les gantelets dorés l'empêchent de glisser, et il arrive à la hauteur d'une stalactite pointue...

— Vite, Tom! s'écrie Elena. Silver est en train d'étouffer !

Le garçon s'approche difficilement du plafond de la grotte. Son armure magique lui donne plus de pouvoirs, mais elle est aussi très lourde... Soudain, il sent le plastron doré le remplir d'énergie et la cotte de mailles lui redonner courage. Il ne peut pas échouer !

Il dirige la pointe de son épée vers la stalactite et se met à frapper la roche, encore et encore... Il ne va pas tenir longtemps, il le sait : ses muscles lui font mal et des gouttes de transpiration coulent dans ses yeux.

— Regarde ! Dans la toile ! lui lance soudain son amie.

Tom baisse les yeux et aperçoit une jeune femme, enveloppée dans des fils de soie. Elle se contorsionne en gémissant.

C'est sûrement Etta, l'amie de Dorina !

— On va vous aider, Etta ! lui crie-t-il. Gardez courage !

Il frappe de nouveau la roche pour détacher la stalactite du plafond.

Le loup, toujours prisonnier de la toile d'araignée, ne bouge plus.

— Silver ! s'écrie Elena. Tiens bon, s'il te plaît !

Arachnid siffle encore une fois, prête à lancer de nouveaux fils sur le garçon et la jeune fille. Tom hésite... il doit sauver Silver et Etta ! Mais il a si peu de temps...

Il a besoin d'aide. Laquelle des Bêtes d'Avantia est-ce qu'il pourrait appeler à leur secours ?

« Nanook ! » pense-t-il alors. La dernière fois qu'il a vu le monstre des neiges, il se trouvait dans les Plaines de Glaces. Pourvu qu'il puisse venir...

Le garçon range son épée et passe la main dans son dos pour toucher la clochette enchantée de Nanook, accrochée à son bouclier.

Au même moment, il entend un rugissement.

La Bête est arrivée !

Nanook contre Arachnid

Une partie du mur s'effondre et la lumière du jour illumine soudain la grotte. Le monstre des neiges entre d'un pas lourd qui fait trembler le sol.

— Nanook ! s'écrie Tom, avec soulagement.

Elena attrape les rênes de Tempête et court se réfugier

sous une corniche, tandis que des pierres tombent tout autour d'eux. Pendant ce temps, Nanook bondit vers la toile d'Arachnid.

L'araignée pousse un hurlement et se dresse sur ses pattes arrière. Elle envoie des fils de soie sur le monstre des neiges, mais celui-ci s'en débarrasse comme s'il chassait des mouches. Puis Nanook donne un coup de griffe à Arachnid, qui se met à hurler de douleur.

Tom n'en revient pas : le monstre des neiges vient

de percer les yeux de la Bête, qui est maintenant aveugle !

— Elena ! crie le garçon. Occupe-toi de Silver ! Je vais détacher Etta !

La jeune fille sort de sa cachette, se précipite vers la toile et atterrit sur les fils gluants. À l'aide de son couteau, elle réussit à détacher son loup, puis le tire vers le sol.

— Silver, sanglote-t-elle en serrant l'animal contre elle. Je suis si heureuse que tu sois vivant !

Celui-ci lui lèche gentiment le bras.

De son côté, Tom siffle

Tempête, qui vient aussitôt se placer au-dessous de lui. Puis le garçon se laisse retomber sur le cheval, qui pousse un hennissement de triomphe. Il lève son épée et dirige Tempête vers la toile d'Arachnid.

Pendant ce temps, les deux Bêtes continuent de s'affronter. Nanook donne de grands coups de griffe à l'araignée, qui se défend avec ses longues pattes.

Arrivé vers la toile, Tom bondit sur les fils gluants et va rejoindre Etta. Les murs

79

de la grotte se fendent peu à peu du sol au plafond. Il leur reste peu de temps !

Etta regarde Tom avec de grands yeux terrifiés. Le garçon tire son épée et se met à donner de grands coups dans les fils enroulés autour de la jeune femme.

— Oh, merci, merci ! s'exclame Etta en pleurant.

— Tom ! s'écrie Elena. Le plafond va s'effondrer !

— Vite, quitte la grotte avec les animaux ! répond le jeune héros. Suivez mon amie ! dit-il à Etta. Vous serez en sécurité avec elle.

— Qu'est-ce que vous allez faire ? demande la jeune femme, effrayée.

— Combattre la Bête ! réplique Tom d'un air sombre.

Elena prend Etta par la main et court vers le trou que Nanook a fait dans la paroi de la grotte.

Les deux Bêtes continuent de se battre violemment et de faire trembler le sol. Tom s'aperçoit qu'elles sont à égalité... *Et si Nanook n'arrivait pas à la vaincre ?*

se demande-t-il, inquiet.

Puis il se souvient qu'il n'a pas le droit de perdre courage ! La vie d'Aduro en dépend... Il faut absolument qu'il détache cette stalactite du plafond.

Il saute sur Tempête, qui galope jusqu'à la roche pointue. Là, Tom se met debout sur la selle de son cheval et bondit vers la stalactite. Il réussit à s'y agripper grâce à ses gantelets magiques, puis tire son épée et frappe la roche au niveau du plafond.

Soudain, la lance de pierre se décroche et tombe vers Arachnid, perçant le dos de l'araignée. Tom bondit de côté pour éviter d'être écrasé par le corps de la Bête qui pousse un rugissement de douleur avant de disparaître aussitôt.

À sa place, des milliers de minuscules araignées s'enfuient de tous les côtés.

Tom a vaincu Arachnid, mais il n'a pas le temps de se réjouir. Un énorme fracas résonne dans la grotte et des roches commencent à tomber autour de lui !

— Nanook ! crie le garçon. Il faut sortir d'ici avant qu'il ne soit trop tard !

Le monstre des neiges rugit et Tom se met à courir vers la lumière du jour.

Chapitre neuf

Courage !

Tom se précipite à l'extérieur de la grotte pendant que des rochers tombent tout autour de lui dans un bruit assourdissant. Sous le choc, couvert de bleus, le garçon aperçoit Elena.

— Par ici ! s'exclame la jeune fille en le tirant par le bras.

— Non, répond le garçon. Nanook est resté dans la caverne ! Je dois y retourner !

Mais de grosses roches bloquent l'entrée et empêchent le monstre des neiges de sortir.

— Tom, c'est impossible ! lui dit Elena. On doit quitter cet endroit...

— Non ! Je ne veux pas abandonner Nanook !

— Bon, tu as raison, répond son amie. On doit essayer de le sauver.

— Si on essaie ensemble, on peut y arriver, dit le

garçon avec détermination.

Tom et Elena se précipitent sur les roches et se mettent à les pousser de toutes leurs forces. Tempête les aide en donnant des coups de sabot dans la pierre.

Mais rien ne bouge. « Au secours, Aduro ! » pense Tom, désespéré. Il a besoin du bon sorcier, mais celui-ci est le prisonnier de Malvel. Comment pourrait-il leur venir en aide ?

Soudain, l'air se met à trembler près d'Elena et Aduro apparaît devant eux !

Les deux amis n'en croient pas leurs yeux.

— Je n'ai pas le temps de répondre à vos questions, dit le sorcier.

Il est maigre et il paraît épuisé. Tom est très triste pour lui.

— Je n'ai pas beaucoup de temps. Malvel va s'apercevoir que je me suis absenté, reprend Aduro. Tu t'en sors vraiment bien, Tom. Ne perds surtout pas courage !

Le sorcier lève les mains vers les rochers et murmure une formule magique. Tout à coup, un éclair de lumière blanche surgit devant l'entrée de la grotte et les rochers qui la bloquaient explosent !

Tom veut remercier Aduro. Mais Malvel, furieux, est apparu près du bon sorcier et s'empare de lui...

— Tu croyais pouvoir me jouer un tour, Aduro ? rugit Malvel. J'ai été trop patient avec toi !

— Non ! s'écrie le garçon.

Au même instant, Malvel et son prisonnier disparaissent.

— Pauvre Aduro, soupire Elena. J'espère qu'il ne va rien lui arriver.

Tout à coup, ils entendent des pas lourds qui viennent de la grotte. Le monstre des

90

neiges en sort en clignant des yeux.

— Nanook ! Tu es sain et sauf ! s'exclame Tom, soulagé.

La Bête grogne douce-ment. Elle pose gentiment sa grosse patte sur la tête du garçon.

Puis Nanook pousse un rugissement et s'éloigne vers les sommets montagneux.

Tom ferme les yeux. Quand il les rouvre, il regarde Elena. Elle lui sourit.

— Bravo, tu as vaincu une autre Bête ! Arachnid était un horrible monstre...

Tom contemple son armure dorée : le casque, la cotte de mailles, le plastron, les jambières et, à présent, les gantelets. Il ne manque plus qu'un morceau... mais pour cela, il lui faudra combattre une dernière Bête, avec l'aide de ses compagnons.

Soudain, il entend le rire de Malvel résonner dans

la montagne. Tom a l'impression qu'il s'enroule autour de lui, comme la toile d'Arachnid.

— Ne crois pas que tu arriveras à me vaincre ! lance le sorcier malfaisant.

Tom relève la tête.

— Tant que je serai en vie, je te combattrai, Malvel ! s'écrie-t-il en dégainant son épée. Nous partons à la recherche de la dernière Bête !

Fin

Tom et Elena ont vaincu Arachnid, la cinquième Bête créée par le terrible Malvel. Le jeune héros possède un nouveau morceau de l'armure magique, des gantelets dorés. Pourtant, leur quête n'est pas terminée : il leur reste encore à combattre une dernière créature maléfique avant de pouvoir délivrer le bon sorcier Aduro et sauver le royaume d'Avantia.

Découvre la suite des aventures
de Tom dans le tome 14
de **Beast Quest** :

LE LION
À TROIS TÊTES

Plonge-toi dans les aventures de Tom à Avantia !

LE DRAGON DE FEU

LE SERPENT DE MER

LE GÉANT DES MONTAGNES

L'HOMME-CHEVAL

LE MONSTRE DES NEIGES

L'OISEAU-FLAMME

LES DRAGONS JUMEAUX

LES DRAGONS ENNEMIS

LE MONSTRE MARIN

LE SINGE GÉANT

L'ENSORCELEUSE

L'HOMME-SERPENT

Table

Imprimé en France par Jean-Lamour - Groupe Qualibris
Dépôt légal : octobre 2010
20.07.2096.4/01– ISBN 978-2-01-202096-2
Loi n° 49956 du 16 juillet 1949
sur les publications destinées à la jeunesse